IRISH ART